坚定信心 勇毅前行
共创后疫情时代美好世界

——在2022年世界经济论坛视频会议的演讲

（2022年1月17日）

习 近 平

人 民 出 版 社

坚定信心　勇毅前行
共创后疫情时代美好世界

——在2022年世界经济论坛视频会议的演讲

（2022年1月17日）

中华人民共和国主席　习近平

尊敬的施瓦布主席，

女士们，先生们，朋友们：

大家好！很高兴出席世界经济论坛视频会议。

再过两周，中国农历虎年新春就要到来。在中国文化中，虎是勇敢和力量的象征，中国人常说生龙活虎、龙腾虎跃。面对当前人类面临的严峻挑战，我们要如虎添翼、虎虎生威，勇敢战胜前进道路上各种险阻，全力扫除新冠肺炎疫情阴霾，全力促进经济社会恢复发展，让希望的阳光照亮人类！

当今世界正在经历百年未有之大变局。这场变局不限于一时一事、一国一域，而是深刻而宏阔的时代之变。时代之变和世纪疫情相互叠加，世界进入新的动荡变革期。如何战胜疫情？如何建设疫后世界？这是世界各国人民共同关心的重大问题，也是我们必须回答的紧迫的重大课题。

“天下之势不盛则衰，天下之治不进则退。”世界总是在矛盾运动中发展的，没有矛盾就没有世界。纵观历史，人类正是在战胜一次次考验中成长、在克服一场场危机中发展。我们要在历史前进的逻辑中前进、在时代发展的潮流中发展。

不论风吹雨打，人类总是要向前走的。我们要善于从历史长周期比较分析中进行思考，又要善于从细微处洞察事物的变化，在危机中育新机、于变局中开新局，凝聚起战胜困难和挑战的强大力量。

第一，携手合作，聚力战胜疫情。面对这场事关人类前途命运的世纪疫情，国际社会打响了一场顽强的阻击战。事实再次表明，在全球性危机的惊涛骇浪里，各国不是乘坐在190多条小船上，而是乘坐在一条命运与共的大船上。小船经不起风浪，巨舰才能顶住惊涛骇浪。在国际社会共同努力下，全球抗疫已经取得重要进展，但疫情反复延宕，病毒变异增多，传播速度加快，给人民生命安全和身体健康带来严重威胁，给世界经济发展带来深刻影响。

坚定信心、同舟共济，是战胜疫情的唯一正确道路。任何相互掣肘，任何无端“甩锅”，都会贻误战机、干扰大局。世界各国要加强国际抗疫合作，积极开展药物研发合作，共筑多重抗疫防线，加快建设人类卫生健康共同体。特别是要用好疫苗这个有力武器，确保疫苗公平分配，加快推进接种速度，弥合国际“免疫鸿沟”，把生命健康守护好、把人民生活保障好。

中国言必信、行必果，已向120多个国家和国际组织提供超过20亿剂疫苗。中国将再向非洲国家提供10亿剂疫苗，其中6亿剂为无偿援助，还将无偿向东盟国家提供1.5亿剂疫苗。

第二，化解各类风险，促进世界经济稳定复苏。世界经济正在走出低谷，但也面临诸多制约因素。全球产业链供应链紊乱、大宗商品价格持续上涨、能源供应紧张等风险相互交织，加剧了经济复苏进程的不确定性。全球低通胀环境发生明显变化，复合型通胀风险正在显现。如果主要经济体货币政策“急刹车”或“急转弯”，将产生严重负面外溢效应，给世界经济和金融稳定带来挑战，广大发展中国家将首当其冲。我们要探索常态化疫情防控条件下的经济增长新动能、社会生活新模式、人员往来新路径，推进跨境贸易便利化，保障产业链供应链安全畅通，推动世界经济复苏进程走稳走实。

经济全球化是时代潮流。大江奔腾向海，总会遇到逆流，但任何逆流都阻挡不了大江东去。动力助其前行，阻力促其强大。尽管出现了很多逆流、险滩，但经济全球化方向从未改变、也不会改变。世界各国要坚持真正的多边主义，坚持拆墙而不筑墙、开放而不隔绝、融合而不脱钩，推动构建开放型世界经济。要以公平正义为理念引领全球治理体系变革，维护以世界贸易组织为核心的多边贸易体制，在充分协商基础上，为人工智能、数字经济等打造各方普遍接受、行之有效的规则，为科技创新营造开放、公正、非歧视的有利环境，推动经济全球化朝着更加开放、包容、普惠、平衡、共赢的方向发展，让世界经济活力充分迸发出来。

现在，大家有一种共识，就是推动世界经济走出危机、实现复苏，必须加强宏观政策协调。主要经济体要树立共同体意识，强化系统观念，加强政策信息透明和共享，协调好财政、货币政策目标、力度、节奏，防止世界经济再次探底。主要发达国家要采取负责任的经济政策，把控好政策外溢效应，避免给发展中国家造成严重冲击。国际经济金融机构要发挥建设性作用，凝聚国际共识，增强政策协同，防范系统性风险。

第三，跨越发展鸿沟，重振全球发展事业。全球发展进程正在遭受严重冲击，南北差距、复苏分化、发展断层、技术鸿沟等问题更加突出。人类发展指数30年来首次下降，世界新增1亿多贫困人口，近8亿人生活在饥饿之中，粮食安全、教育、就业、医药卫生等民生领域面临更多困难。一些发展中国家因疫返贫、因疫生乱，发达国家也有很多人陷入生活困境。

不论遇到什么困难，我们都要坚持以人民为中心的发展思想，把促进发展、保障民生置于全球宏观政策的突出位置，落实联合国2030年可持续发展议程，促进现有发展合作机制协同增效，促进全球均衡发展。我们要坚持共同但有区别的责任原则，在发展框架内推进应对气候变化国际合作，落实《联合国气候变化框架公约》第二十六次缔约方大会成果。发达经济体要率先履行减排责任，落实资金、技术支持承诺，为发展中国家应对气候变化、实现可持续发展创造必要条件。

去年，我在联合国大会上提出全球发展倡议，呼吁国际社会关注发展中国家面临的紧迫问题。这个倡议是向全世界开放的公共产品，旨在对接联合国2030年可持续发展议程，推动全球共同发展。中国愿同各方携手合作，共同推进倡议落地，努力不让任何一个国家掉队。

第四，摒弃冷战思维，实现和平共处、互利共赢。当今世界并不太平，煽动仇恨、偏见的言论不绝于耳，由此产生的种种围堵、打压甚至对抗对世界和平安全有百害而无一利。历史反复证明，对抗不仅于事无补，而且会带来灾难性后果。搞保护主义、单边主义，谁也保护不了，最终只会损人害己。搞霸权霸凌，更是逆历史潮流而动。国家之间难免存在矛盾和分歧，但搞你输我赢的零和博弈是无济于事的。任何执意打造“小院高墙”、“平行体系”的行径，任何热衷于搞排他性“小圈子”、“小集团”、分裂世界的行径，任何泛化国家安全概念、对其他国家经济科技发展进行遏制的行径，任何煽动意识形态对立、把经济科技问题政治化、武器化的行径，都严重削弱国际社会应对共同挑战的努力。和平发展、合作共赢才是人间正道。不同国家、不同文明要在彼此尊重中共同发展、在求同存异中合作共赢。

我们要顺应历史大势，致力于稳定国际秩序，弘扬全人类共同价值，推动构建人类命运共同体。要坚持对话而不对抗、包容而不排他，反对一切形式的单边主义、保护主义，反对一切形式的霸权主义和强权政治。

女士们、先生们、朋友们！

去年是中国共产党成立一百周年。中国共产党团结带领中国人民长期艰苦奋斗，在国家建设发展和人民生活改善上取得举世瞩目的成就，如期实现了全面建成小康社会目标，如期打赢了脱贫攻坚战，历史性地解决了绝对贫困问题，现在踏上了全面建设社会主义现代化国家新征程。

——中国将坚定不移推动高质量发展。中国经济总体发展势头良好，去年中国国内生产总值增长8%左右，实现了较高增长和较低通胀的双重目标。虽然受到国内外经济环境变化带来的巨大压力,但中国经济韧性强、潜力足、长期向好的基本面没有改变,我们对中国经济发展前途充满信心。

“国之称富者,在乎丰民。”中国经济得到长足发展,人民生活水平大幅提高,但我们深知,满足人民对美好生活的向往还要进行长期艰苦的努力。中国明确提出要推动人的全面发展、全体人民共同富裕取得更为明显的实质性进展,将为此在各方面进行努力。中国要实现共同富裕,但不是搞平均主义,而是要先把“蛋糕”做大,然后通过合理的制度安排把“蛋糕”分好,水涨船高、各得其所,让发展成果更多更公平惠及全体人民。

——中国将坚定不移推进改革开放。中国改革开放永远在路上。不论国际形势发生什么变化,中国都将高举改革开放的旗帜。中国将继续使市场在资源配置中起决定性作用,更好发挥政府作用,毫不动摇巩固和发展公有制经济,毫不动摇鼓励、支持、引导非公有制经济发展。中国将建设统一开放、竞争有序的市场体系,确保所有企业在法律面前地位平等、在市场面前机会平等。中国欢迎各种资本在中国合法依规经营,为中国发展发挥积极作用。中国将继续扩大高水平对外开放,稳步拓展规则、管理、标准等制度型开放,落实外资企业国民待遇,推动共建“一带一路”高质量发展。区域全面经济伙伴关系协定已于今年 1 月 1 日正式生效,中国将忠实履行义务,深化同协定各方经贸联系。中国还将继续推进加入全面与进步跨太平洋伙伴关系协定和数字经济伙伴关系协定进程,进一步融入区域和世界经济,努力实现互利共赢。

——中国将坚定不移推进生态文明建设。我经常说,发展经济不能对资源和生态环境竭泽而渔,生态环境保护也不是舍弃经济发展而缘木求鱼。中国坚持绿水青山就是金山银山的理念,推动山水林田湖草沙一体化保护和系统治理,全力以赴推进生态文明建设,全力以赴加强污染防治,全力以赴改善人民生产生活环境。

中国正在建设全世界最大的国家公园体系。中国去年成功承办联合国《生物多样性公约》第十五次缔约方大会，为推动建设清洁美丽的世界作出了贡献。

实现碳达峰碳中和是中国高质量发展的内在要求，也是中国对国际社会的庄严承诺。中国将践信守诺、坚定推进，已发布《2030年前碳达峰行动方案》，还将陆续发布能源、工业、建筑等领域具体实施方案。中国已建成全球规模最大的碳市场和清洁发电体系，可再生能源装机容量超10亿千瓦，1亿千瓦大型风电光伏基地已有序开工建设。实现碳达峰碳中和，不可能毕其功于一役。中国将破立并举、稳扎稳打，在推进新能源可靠替代过程中逐步有序减少传统能源，确保经济社会平稳发展。中国将积极开展应对气候变化国际合作，共同推进经济社会发展全面绿色转型。

女士们、先生们、朋友们！

达沃斯是世界冰雪运动胜地。北京冬奥会、

冬残奥会就要开幕了。中国有信心为世界奉献一场简约、安全、精彩的奥运盛会。北京冬奥会、冬残奥会的主题口号是“一起向未来”。让我们携起手来，满怀信心，一起向未来！

谢谢大家。

图书在版编目(CIP)数据

坚定信心　勇毅前行　共创后疫情时代美好世界:在 2022 年世界经济论坛视频会议的演讲/习近平 著. —北京:人民出版社,2022.2

ISBN 978 - 7 - 01 - 024553 - 9

Ⅰ.①坚…　Ⅱ.①习…　Ⅲ.①习近平-讲话②世界经济-经济发展-研究　Ⅳ.①D2-0②F113.4

中国版本图书馆 CIP 数据核字(2022)第 025801 号

(RMC - ZJDXI - 124 - 20220117)

坚定信心　勇毅前行　共创后疫情时代美好世界

JIANDING XINXIN YONGYI QIANXING

GONGCHUANG HOUYIQING SHIDAI MEIHAO SHIJIE

——在 2022 年世界经济论坛视频会议的演讲

(2022 年 1 月 17 日)

习　近　平

人民出版社 出版发行

(100706　北京市东城区隆福寺街 99 号)

北京新华印刷有限公司印刷　新华书店经销

2022 年 2 月第 1 版　2022 年 2 月北京第 1 次印刷

开本:880 毫米×1230 毫米 1/32　印张:0.5

字数:5 千字

ISBN 978 - 7 - 01 - 024553 - 9　定价:2.00 元

邮购地址 100706　北京市东城区隆福寺街 99 号

人民东方图书销售中心　电话 (010)65250042　65289539